KB096262

B

당신의 교육철학을
한 권의 책에 담아 드립니다

비사이드 북스

X

교육실천이음연구소

루비의 교육철학

루비

차례

글쓴이

초등교사이자
동화작가

|

루비

현재에 안주하지 않고 계속해서 발전하기 위해 노력하는 사람. 다수의 에세이와 오디오북 동화를 썼다.

저자인 나와, 독자인 나는 시간을 두고 조금씩 달라집니다. 온전한 나를 소개하는 문장을 찾을 때까지 나에 대한 소개는 수시로 다시 쓰여져야 합니다. 그 부지런한 이해로 당신은 더욱 당신다워질 겁니다.

글쓴이

나를 이루어 온 경험은
무엇인가요?

성장과정과 학생 시절의 경험, 특히
교직을 택한 경험을 되돌아봅니다.
자신이 의미를 두는 경험에서 얻은
성찰과 역량을 발견합니다.

그리고 그것이 어떻게 어우러져
지금의 나를 형성해왔는지
인식합니다.

다채로운 경험으로
만들어지는
나라는 교사

대화한 날_ 2023. 10. 11.

완성한 날_ 2023. 11. 28.

다채로운 경험으로 만들어지는 나라는 교사

오늘 첫 모임에서는 나라는 존재를 이룬 것들, 그리고 나의 어린 시절, 영향을 끼친 선생님, 그리고 나는 언제부터 선생님을 꿈꾸었는가 등의 이야기를 나눴다. 그리고 이 시간이 결국 나의 교육 철학을 되돌아보는 데 중요한 의미를 지녔다. 소그룹 모임 후 진행자 선생님께서 마지막 질문으로 선생님으로서 나라는 존재를 색깔이나 단어, 물건 등으로 표현해보라고 하셨다. 그때 퍼뜩 떠오른 생각이 무지개 색깔이었다. 나는 무지개색이 너무나 좋았다. 좋아하는 것도, 해보고 싶은 것도 너무 많은 나에게 하나의 색깔을 고르기란 퍽 어려운 일이었다. 그런 나에게 무지개색은 적합한 색이었다. 초등교사는 모든 과목을 다 아울러서 가르치고, 교과 간 융합과 재구성 등을 통해 자기만의 색깔 있는 수업을 구성할 수 있다. 그리고 무엇보다 좋은 수업을 위해서는 다채로운 경험이 중요하다 생각이 든다. 깊이 심사숙고해보진 않았지만, 나도 모르게 무의식중에 전교과를 다 가르치는 초등교사에게 매력을 느꼈던 건 아닐까? 국어, 수학, 사회, 과학, 영어, 미술, 음악 등 모든 과목을 수업하는 것들이 재미있다. 물론 그 중에 더 재미있는 과목도 있고, 수업 시간이 되면 약간 부담이 느껴지는 과목도 있지만, 그래도 기본적으로 다 재밌다. 이런 나에게 전 교과를 가르치는 초등교사는 정말 적성이 잘 맞는다는 생각이 든다.

다채로운 경험으로 만들어지는 나라는 교사

나는 어린 시절, 시골에서 자랐다. 하지만 빠르게 도시화하는 시골이라서 중학생 시절부터는 자연의 정취를 느끼기 조금 힘들어진 것도 사실이다. 그러나 내 초등학생 때 경험은 아주 아름다운 기억으로 채색되어 있다. 우리 집은 단독주택으로 집 앞에는 포도송이 넝쿨이 자라고 있었고, 마당에는 여러 나무와 원두막이 있었다. 나와 내 동생은 학교를 마치고 매일 같이 동네 친구들과 쏘다니며 놀러 다녔다. 마을 주민들이 모두가 잘 아는 사이라 위험한 사람을 걱정할 일도 없었다. 실제로 우리 마을은 '범죄 없는 마을'로 선정되기도 했었다. 그런 시골 마을에서 자연을 맘껏 만끽하며 자란 건 아주 행운이었던 것 같다. 봄에는 개나리며 진달래를 구경하러 다녔고, 여름에는 개울물에서 놀았고, 가을에는 밤을 줍고 잠자리를 잡으러 다녔으며, 겨울에는 함박눈이 내리는 날이면 눈송이를 뭉쳐서 뛰놀았다. 이런 아름다운 경험들이 훗날 어떤 고통이나 시련이 닥쳐도 나를 버티게 해주는 큰 자양분이 되었다. 그래서인지 내가 만약 자녀가 생긴다면 시골에서 키우고 싶다. <월든>의 작가 헨리 데이비드 소로우처럼 자연론자가 되어 찬양하고 싶다.

산다는 건 누구에게나 쉽지 않다. 아무리 걱정 없어 보이는 사람에게도 남모를 아픔과 고민은 있기 마련이다. 그건 교사로 일하는 선생님도, 학교에 다니는 학생늘도, 아이를 키우는 학부모님들도 마찬가지다. 사람과 사람이 만나면 기대한 만큼 실망하기도 쉽다. 그 과정에서 서로에게 상처를 주기도 한다. 오늘 모임을 통해서 어쩌면, 내가 실망했던 선생님들도 나름대로 우리에게 최선을 다했고 고군분투가 있었겠구나 싶다. 내가 그랬던 것처럼. 사실 어린 시절 받은 상처가 쉽게 치유될 것 같지는 않다. 한 번은 중학교 졸업식 때 담임 선생님께서 분명 내가 대표로 상을 받는다고 하셨는데 당일 날 결국 내 자리에 계속 앉아있어야만 했었고 이름은 불리지 않았다. 하지만 선생님은 어떤 해명도 하지 않으셨다. 나는 아직도 그 일이 마음에 상처로 남아있다. 그럼에도 노력하는 과정이,

이해하는 과정이 나라는 사람을 더 크게 만들고, 더 좋은 교육을 해나가는 데 분명 의미가 있을 거라는 생각이 든다. 그를 통해 우리 반 아이들에게 좋은 영향력을 끼치고 싶다. 사람은 누구나 실수하고 연약하며 부족한 부분이 있다는 생각이 든다.

생각해 보면 어린 시절 선생님들에게 실망한 적도 있지만 반대로 내가 선생님의 꿈을 키울 수 있는 자양분을 얻기도 했다. 친구들 앞에서 선생님처럼 가르쳐보라고 학습 부장을 시켜주신 4학년 때 선생님, 학업과 친구 문제로 스트레스받던 6학년 때 활력소가 되었던 풍물반을 지도해 주신 선생님, 책 읽기를 좋아하는 나에게 벌써 이런 책도 읽냐며 칭찬하고 격려해 주신 선생님, 여고 시절, 반 친구들에게 선생님으로서의 보람과 자긍심에 관해서 이야기해 주었던 여자 선생님들. 그 선생님들이 알게 모르게 나에게 많은 영향을 끼쳤던 것 같다. 교육학 공부할 때 정말 인상적이었던 개념이 '잠재적 교육과정'이었다. 잠재적 교육과정은 학교에서 의도하고 계획한 바는 없으나 학생들에게 은연중에 끼치게 되는 경험을 말한다. 앞서 열거한 선생님들은 내가 교사로서 꿈을 키우는 데 긍정적인 영향을 미치셨다. 잠재적 교육과정은 부정적인 영향력도 조심해야 한다. 내가 혹시 학생들에게 나쁜 습관을 배우게 하지는 않았는지, 나의 가치관과 사고방식을 늘 점검하면서 나의 지난 선생님들처럼 좋은 본보기가 될 수 있도록 조심해야겠다. 학교에서 학생이란 많은 경험과 지식, 사랑 등 다양한 자양분을 먹고 자란다. 내가 자라온 날들을 되돌아보며 나의 학생들에게 좋은 것, 기쁜 것, 유익한 것을 나눠주는 선생님이 되어야겠다. 때로는 상처와 좌절과 실패도 성숙의 한 과정이라는 것을 몸소 보여주면서....

나는 어린 시절, 공부는 잘했지만, 몸으로 움직이는 건 다 재능이 없어서 특히 체육을 두려워했었다. 그런데도 운동회 때 달리기에서 꼴찌가 하기 싫어서 넘어지고 넘어지고 또 넘어져도 계속해서 연습했던 아이다. 그래서 내 무릎에는 그때의 상처가 훈장처럼 남아있다. 나한테는 그게 너무나 당연한 삶의 한 과정이었는데 분과 소모임 진행 선생님께서 "정말 성실하셨네요."라고 말씀해주셔서 깜짝 놀랐다. 그게 나의 '성실'을 나타낸 지표였나 하고 말이다. 비록 계속되는 체육 과목의 낮은 성적으로 체육을 많이 싫어하고 멀리하게 되었지만, 그래도 여전히 요가나 수영이나 산책 같은 활동은 좋아한다. 그리고 꼭 성적에 구애받지 않고 계속해서 생활 스포츠를 즐기고 싶다. 내가 만난 아이들도 비록 숱한 세간의 평가와 좌절로 공부나 특정 과목이 설사 싫어진다고 해도, 앎에 대한 호기심과 즐거움, 과제집착력이나 끈기 같은 것은 버리지 말았으면 좋겠다. 중요한 건 결과보다 과정이고 그걸 해나가는 과정에서 얻는 기쁨과 행복이 더 크니깐 말이다. 그리고 그렇게 하다 보면 꼭 나에게 딱 맞는 옷처럼 즐길 수 있는 공부를 찾을 수 있을 테니깐 말이다. 그리고 결국엔 세상을 놀라게 할지도 모르겠다. 이게 바로 교육에 대한 나의 철학이다.

"나의 가치관과 사고방식을

늘 점검하면서

나의 지난 선생님들처럼

좋은 본보기가 될 수 있도록

조심해야겠다."

다채로운 경험으로 만들어지는 나라는 교사

B

당신은 이 글의 저자인 동시에 독자입니다. 저자인 나와 독자인 나는 만날 때마다 새로운 이야기를 만들어 갑니다. 지금 이 글을 읽는 당신의 생각을 여기에 더해보세요. 그것은 내 손을 떠난 글에 새로운 생명과 생기를 불어넣는 일입니다.

다채로운 경험으로 만들어지는 나라는 교사

B

나는 교사로서 어떤
이야기를 만들어 왔나요?

과거의 생애로 형성된 가치관이
교직에 들어선 후 수업, 학생,
학부모, 학급, 동료교사 혹은
교사공동체에 어떤 영향을 주어
왔는지 되돌아봅니다.
그 중에서 지금 자신의 교육에 대한
생각과 역량에 영향을 준 경험을
짚어봅니다. 그리고 그것이 어떻게
지금의 나를 형성해왔는지
인식합니다.

울창한 숲을 만드는 교사

대화한 날_ 2023. 10. 18.

완성한 날_ 2023. 11. 28.

울창한 숲을 만드는 교사

두 번째 모임의 첫 질문은 교사로서의 만족도를 1점부터 10점 사이의 점수로 나타내는 것이었다. 두 분 선생님의 대답을 듣고 내 차례가 되었을 때 나는 10점 만점에 7점이라도 대답했다. 그건 기본적으로 만족하지만, 여러 애로사항으로 인해 3점을 감점한 것이었다. 업무로 인한 고충, 관리자, 동료 교사, 학부모 등 인간관계의 어려움, 그리고 사회적 인식 및 대우에서 오는 괴리로 인한 것이었다. 하지만 나는 내가 감점을 준 요인인 어려움에만 국한되고 싶지 않다. 마지막 질문에서 이야기한, 학부모 민원으로 인해 휴직했었던 암흑기도 있었지만, 기본적으로 교사라는 직업은 내게 많은 것들을 가져다준다고 생각하기 때문이다. 학생들의 웃음소리와 행복, 성장, 아이들이 내게 건네는 편지, 문자메시지, 감사의 표현들이 큰 기쁨을 주기 때문이다. 그리고 그러한 것들에 취해서 또다시 나를 발전시키고 선순환의 사이클에 나를 밀어 넣는 것이 나에게는 커다란 기쁨이다.

그러나 생각해 보니 정말로 좌절도 실망도 많이 해보기도 했었다. 헨리 반 다이크의 시 '무명 교사 예찬'의 한 행, '그는 청빈 속에 살고 고난 속에 안주하도다'라는 문장처럼, 청빈과 고난을 훈장처럼 여기고 나의 직업적 사명을 고수하려고 해도 세간의 시선은 그냥 낙오자, 무능한 교사로 볼 뿐이기도 했으니깐 말이다. 부유함이 성공의 상징이고, 화려함과 유명세, 강인함이 모든 인생의 승리자처럼 여겨질 때, 검소함과 소박함, 어떤 시련에도 굴하지 않는 정신력은 그저 비굴함과 비천함으로 여겨지고 천대와 멸시의 대상이 될 뿐이었다. 그럼에도, 나는 다시금 헨리 반 다이크의 '그는 청빈 속에 살고 고난 속에 안주하도다'라는 문장을 마음속에 되새긴다. 이런 경험들이 나를 더 속 깊고 마음 따뜻한 교사로 만들어준다고 생각하니깐 말이다. '꽃길만 걸어요'라는 덕담이 유행어처럼 번지지만 우리의 인생, 우주의 계획은 그렇지 않을지도 모른다는 운명을 사명처럼 받아들이고 더 농밀한 교사가 되고자 한다.

나는 한 차례 시련을 겪은 후, 길고 긴 어둠과 우울증의 터널 속에서 헤매었지만, 결국엔 빛을 만날 수 있는 터널처럼, 다시금 회복하고 전보다 더 열정적으로 살게 되었다. 지금은 대학원에서 아동문학교육 석사도 수료한 상태고, 오디오북 동화책도 여러 권 출간했고, 공모전에서 대상을 받아 정식으로 교단일기를 엮은 책도 출간하였다. 그렇다고 해서 내가 유명인이 되거나 대단한 사람이 된 것은 아니지만, 스스로 생각해도 한 단계 성장했음에 감격스럽고 뿌듯하다. 자신감이 생기고 앞으로도 내가 원하는 것, 꿈꾸는 것을 이룰 수 있을 것만 같다. 게다가 이러한 나의 취미 생활, 자기 계발 등 성장의 동력이 다시 학생들을 교육하는 데 도움이 되니 누이 좋고, 매부 좋고, 꿩 먹고 알 먹고 아닌가. 나에게 힘이 되어주었던 아이들의 사랑, 응원, 학부모의 격려, 동료 선생님의 지지가 죽어가던 나를 소생시켜주었다. 더 열정적으로 살게 도와주었다.

어떤 철학책에서 '열정적으로 살지 않으면 시기심이 당신의 세상을 지배하게 된다'라는 문장을 읽었다. 살면서 누군가를 시기 질투하고 깎아내리거나 공격하는 사람도 많이 겪어보고 그런 아이들을 만나보기도 했다. 내가 큰 학교보다 작은 학교를 선호하는 것도 그런 인간관계 군상과 비교의식에 지쳐서이기도 한다. 비교를 없애려면 SNS를 줄이라는 말도 있지만, 나는 또한, 어제의 나와 오늘의 나를 비교하고 나의 성장을 누군가에게 도움을 주는 원동력으로 삼아보라고 말하고 싶다. 그리고 그렇게 연대의 미덕을 발휘하여 다양한 공동체 속에서 영향력을 발휘하고 많은 추억과 좋은 경험을 바탕으로 계속해서 선순환의 구조를 만들어나갔으면 좋겠다. 내가 재작년에 몸담았던 전문적 학습 공동체, 작년에 활동했던 중국어교육 연구회 등이 그런 경험을 할 수 있도록 나를 일깨워 주었다. 비록, 큰 성과를 내거나 꾸준히 활동을 이어온 것은 아니지만, 앞으로 나의 관심사인 동화 창작과 국어 교육과 관련해서 나도 이를 바탕으로 사람들에게 많은 도움을 주는 교사가 되고 싶다.

그를 위해서 나는 전보다 더 열정적으로 내 삶을 끌어나가고 싶다. 내가 우연히 덕수궁 돌담길을 걷다가 만났던 온기레터 우편함은 내가 또래상담 업무를 하는 데 아이디어를 제공해주었다. 내가 몇 년째 계속하고 있는 독서 동호회 활동은 독서토론 동아리를 운영하는 데 도움을 주었다. 또한 대학 때 심화 전공했던 음악교육, 꾸준히 배우고 있는 피아노는 우리 반 음악 수업을 좀 더 풍부하고 내실 있게 만들어준다. 그리고 직접 책을 출간한 경험과 애니메이션 감상을 즐기는 내 취미는 학생 자율 동아리로 '애니랑 동시랑'을 모집해서 한 학기 동안 운영하고 작은 책을 엮어내기도 했다. 내가 경험하는 것들, 나의 취미생활 등이 풍부할수록 더 생동감 있는 수업이 가능하다고 생각하니 이렇게 좋은 직업이 있나 이런 생각이 든다. 요즘에는 폴리매스형 인간, 제너럴리스트가 미래에 적합한 인간상이라고 하는데, 우리 반 학생들도 다양한 경험을 하면서 다재다능한 능력을 키워나갈 수 있도록 돕고 싶다. 물론 그러면서도 한 분야도 더욱 갈고닦아 뾰족한 재능을 뽐내면 더욱 좋을 것 같다.

학교 가는 것이 너무 힘들고 죽고 싶은 적도 있었지만, 그래도 내가 성공적으로 쌓아 올렸던 경험들도 있어서 내가 극복할 수 있는 큰 힘이 되었다. 나를 패션테러리스트라며 아이들이 놀리기도 했지만, 그로 인해 아이

울창한 숲을 만드는 교사

들이 선생님에게 얼마나 많은 관심을 두는지 알게 되었고, 연예인처럼 더 나를 가꾸고 싶다는 바람과 함께 노력하게 했다. 나를 졸졸 따라다니며 아예 학교에서 살고 싶다고 말하는 1학년이었던 꼬꼬마 덕분에 나는 마트에서 학부모님을 만나 "요즘 00 덕분에 너무 행복해요."라고 말할 정도였다. 내 덕분에 꿈을 실현했다고 귀엽게 말하는 아이, 나와 함께 했던 한 해가 최고로 즐거웠다고 말하는 아이, 때마다 안부 문자를 보내오는 아이들의 사랑과 격려가 아무리 힘들고 지쳐도 힘을 낼 수 있는 원동력이 되어준다. 그리고 이제는 그런 아이들과의 관계를 넘어 학부모, 동료 교사, 그리고 지역 주민 모두에게 받은 사랑을 되돌려주는, 인정받는 멋진 선생님으로 남고 싶다.

　　나는 이제 겨우 십여 년의 교직 인생을 살아왔지만, 앞으로 남은 이십여 년, 삼십여 년 가까운 인생은 어떻게 되는 걸까 궁금하기도 하다. 희망찬 기대도 해보지만, 때론 두려울 때도 있다. 그러나 지금까지 우여곡절을 겪어 지금의 내가 있듯이 앞으로도 또 어떤 벼랑 끝으로 내몰릴지, 어떤 비바람과 천둥 벼락을 맞을지 모르지만, 잘 헤쳐나갈 수 있지 않겠냐고 막연히 상상해본다. 해마다 늘어나는 나무의 나이테처럼, 나도 내 교직 인생만큼 쌓여가는 나의 경력과 경험, 성장이라는 나이테를 흐뭇하게 바라봐야겠다. 물렁물렁해서 썩어버리는 나무가 아니라 강인한 생명력으로 결국에는 아주 울창한 숲이 되는, 그런 단단한 나무가 되어야겠다. 새와 바람과 아이들이 모두 쉬어가는 그런 아름드리나무, 울창한 숲을 만들어 나가고 싶다.

"새와 바람과 아이들이

 모두 쉬어가는

 그런 아름드리 나무,

 울창한 숲을

 만들어나가고 싶다."

B

당신은 이 글의 저자인 동시에 독자입니다. 저자인 나와 독자인 나는 만날 때마다 새로운 이야기를 만들어 갑니다. 지금 이 글을 읽는 당신의 생각을 여기에 더해보세요. 그것은 내 손을 떠난 글에 새로운 생명과 생기를 불어넣는 일입니다.

울창한 숲을 만드는 교사

울창한 숲을 만드는 교사

내게 배운 학생들은
어떤 세상에서 살까요?

우리 사회가 어떠한 곳이 되기를
바라는지 생각해봅니다. 정치, 경제,
문화 등 사회의 각 영역에 대한
관점에 영향을 준 일들을
짚어봅니다. 그를 통하여 어떤
가치관을 형성해 왔는지
성찰합니다. 그에 비추어 현재
우리 사회의 모습을 볼 때 발견하는
괴리를 인식합니다.

'키키'의 마을 같은
아름다운 세상을 꿈꾼다

대화한 날_ 2023. 10. 25.

완성한 날_ 2023. 11. 29.

'키키'의 마을 같은 아름다운 세상을 꿈꾼다

내게 배운 학생들은 앞으로 어떤 세상에서 살게 될까? 꼭 학생과 연관시키지 않더라도 종종 막연히 불안한 생각을 하곤 했다. 미래에는 조지 오웰의 소설 <1984>와 같은 극한 디스토피아 세상이 펼쳐지는 않을지... 투명한 물에 검은 잉크 한 방울만 떨어져도 금세 새카매지는 것처럼 악한 생각이 널리 퍼지는 않을지... 하지만 그런 생각은 내

마음이 건강하지 않거나 부정적인 생각에 사로잡힌 경우가 많으므로 다시금 마음을 다잡고 긍정적인 생각을 했었다. 그리고 오늘 이 모임을 통해서 다시 확신하게 된다. 설사 앞으로 진짜 그런 불행한 미래가 닥친다고 해도, 잘 헤쳐 나갈 그런 어른으로 우리 반 아이들이 자라줬으면 좋겠다고... 자신의 안위를 위해 쉽게 정의를 버리고 신의를 외면하는 못난 어른이 아니라, 올바른 생각을 지니고 참된 가치를 추구하는 어른으로 자라줬으면 좋겠다고...

그렇다면, 지금보다 세상이 더 나아지지는 않을까? 요새도 가끔 눈살이 찌푸려지는 뉴스가 있다. 다문화가정이나 장애인에 대한 차별 섞인 시선, 혐오, 편 가르기. 꼭 그런 혐오가 아니더라도 의대 쏠림 현상이나 특정 직업군 비하, 계급의식 같은 것들... 오래전부터 비판받아 온 황금만능주의, 직장 내 갈등, 지역 이기주의 등등. 그런 문제들은 다 어디서 터지는 걸까? 소수가 물을 흐리는 걸까? 아니면 사회 전반적인 흐름이자 분위기일까? 일단 내

주변만 보자면, 당당할 수 있는 사람이 많지 않은 것 같다. 그건 나 또한 마찬가지겠지. 모두가 벼랑 끝을 향해 달리는데 혼자서만 이탈하기가 쉽지 않다. 죽을지도 모르고 달리는 스프링벅처럼.

모임 첫 질문으로 사회자 선생님은 5점 만점으로 표현해 보라고 하셨다. 그래서 난 3점을 주었다. 우리보다 더 열악한 아프리카나 요즘 전쟁이 벌어지고 있는 이스라엘, 여성 차별이 심한 중동에 비하면 훨씬 나은 것 같지만, 반대로 북유럽 선진국처럼 평등 의식과 복지 정책이 잘 이루어져 있는 나라에 비하면 행복도가 떨어지는 것 같아서 중간 점수인 3점을 줬다. 획일화된 기준이 삶의 지표가 되어 있는 나라, 다양성이 부족한 나라에 아쉬움을 느끼던 나는, 5점을 준 다른 선생님께 조금 놀라기도 했다. 내가 너무 부정적인 건가? 전 세계 흐름이라고 말씀하시는 선생님의 의견을 듣고 나서, 내가 아직 모르는 게 많아서 우리나라에 대해 저평가하나 그런 생각도 스쳤다. 하지만, 우리나라가 설사 지옥은 아닐지라도 천국도 아니기에, 더 나은 세상을 향한 염원과 발전 지향성을 추구하며 3점을 주려고 한다.

얼마 전 챗GPT의 상용화와 더불어 인공지능 시대에 대한 우려가 떠들썩하기도 했다. 알파고가 바둑에서 승리한 지 채 몇 년이 지나지 않아 계속해서 자율주행 자동차, 일론 머스크의 우주산업 등 새로운 소식이 전해온다. 너무나 빠르게 변화하는 세상 속에서 정보의 범람으로 시대를 따라 잡기조차 힘들다. 이렇게 빠른 속도의 시대에 살수록, 더욱 중요한 무엇이 있지는 않을까? 그건 바로 어떤 기계도 인공지능도 대체할 수 없는 인간만의 고유함인 것 같다. 그리고 나는 그것을 그간 읽은 책과 칼럼, 보았던 영상 등을 통해 바로 자율성, 공감 능력, 창조적 사고에 있다는 생각을 하게 됐다. 그리고 그러한 능력을 기르는 것은 바로 타율적인 삶이 아닌, 남들과 똑같은 삶이 아닌, 독특한 자신만의 삶을 살 때 실현될 수 있다고 본다.

'키키'의 마을 같은 아름다운 세상을 꿈꾼다

얼마 전에 나의 3~4년 전 제자들을 만났다. 내가 5~6학년 연임을 했던 제자들이 지금은 중3 학생이 되었다. 하버드대의 마이클 샌델 교수의 EBS 강의에서도 학생들의 진로 교육에 관해 고민하는 선생님의 이야기가 나온다. 사회적으로 선망하는 높은 지위의 직업만 추구하는 세태에 어떻게 아이들을 지도해야 하냐고. 그때 마이클 샌델의 대답은 '어려운 질문이네요.'였다. 정말로 쉽지 않은 질문이란 생각이 들었다. 얼마 전에 봤던 웨이브 드라마 '박하경 여행기'에서도 비슷한 주제가 나온다. 사회적 성공이 보장되지 않은 직업을 추구하는 학생의 꿈을 밀어줘야 하는지 말이다. 그러나 드라마에서는 결국 학생의 꿈을 응원한다.

나도 억지로 학생들을 생계가 중요하다며 위협하고 싶지 않다. 물론, 기본적인 의식주의 욕구는 해결되어야 할 것이다. 그러나 발을 땅을 디디고 하늘의 별을 바라봐야 하듯이 자신의 꿈만은 포기하지 않았으면 좋겠다. 모든 직업은 각자의 위치에서 소중함과 중요도가 있고, 일하는 방법에 있어서 최고를 추구해야 한다고 생각한다. 그런 가치관을 지닌 내게 제자들이 각자 '요리사'와 '사육사'의 진로를 생각한다고 해서 조금 반가운 마음이 들었다. 아직 중3이니깐 앞으로 어떻게 변할지는 모르겠지만, 자신의 인생계획을 잘 실현해 나갔으면 좋겠다. 그 길에 나의 도움을 요청한다면 기꺼이 도와주고 싶다.

내가 기대하는 앞으로의 세상은, 바로 이렇게 자라나는 어린이들이, 청소년들이, 그리고 성인이 된 어른들이 자신의 꿈을 실현해 나가도 생계를 위협받지 않는 사회, 기본 복지제도가 잘 구현된 사회, 그래서 사람들이 날카로운 마음으로 다른 소수자를 핍박하거나 혐오하지 않아도 되는 세상, 하나의 직업군만이 독점하고 선망받는 사회가 아니라, 모두가 자유롭고 행복해지는 사회다. 내가 지브리 애니메이션 <마녀 배달부 키키>에서 봤던 그런 아름답고도 이상적인 바닷가 마을 같은 곳이 현실로 구현된다면 참 행복할 것 같다. 어떤 이야기에서 기다란 수저로

서로 자기만 먹으려 하면 지옥이 되지만 상대방에게 긴 수저를 이용해 음식을 먹여주면 천국이 된다는 말처럼, 협력과 배려, 연대가 일상화된 사회, 굳이 천국을 꿈꾸지 않아도 내가 살고 있는 세상이 지상천국인 세상, 그러한 세상을 꿈꾼다.

그러한 세상은 어떻게 하면 만들어지는 걸까? 나의 영향력은 얼마나 되는 걸까? 내가 교사가 된 지금, 그리고 반대로 학생으로서 교사를 바라봤던 시절을 떠올려보면, 선생님이 유능하든, 무능하든, 선하든, 악하든. 교사가 어떤 교사이냐의 여부와 달리 학생 스스로 받아들이는 점도 꽤 다르다는 것을 느꼈다. 선생님도 한 사람의 불완전한 인간일 뿐이고 학생들에게 완벽한 모습만을 보여줄 수가 없다. 그런 선생님 아래서 학생들은 제 나름의 고군분투와 생각을 지니게 되고, 사회를 새로운 시각으로 바라보게 된다. 나 또한 정말 좋았던 선생님, 실망스러운 선생님을 통해 사회에 대해, 그리고 교사에 대해, 그리고 학교에 대해 어떤 시각을 가지게 되었고, 그것이 지금의 나라는 선생님을 만들었다.

학생들은 자라면서 자신만의 철학과 가치관을 지니게 될 것이다. 내가 지금 이 시간을 통해 새롭게 교육철학을 다져가는 것처럼. 다만, 나는 그 길에 내가 부정적인 영향을 주지 않기를 바랄 뿐이다. 학생이 좌절하거나, 극단적인 선택을 하거나, 사회에 악영향을 끼치는 일이 없었으면 좋겠다. 나는 학생들과 손을 마주 잡고 이 세상이 조금 더 나아지기를, 조금씩 개선되고 발전되어 가는 모습을 함께 일구어나가기를, 그리하여 파편화된 현대의 사람들이 조금 더 손에 손을 잡고 함께 가는 길에 모두가 웃으며 동참하는 세상이 오기를 바란다. 그러한 세상을 위해 조금 더 내가 만난 아이들의 입장에서 지금의 세상을 바라봐야겠다. 이해해야겠다. 그리고 발맞추어야겠다. 함께 나아가야겠다.

'키키'의 마을 같은 아름다운 세상을 꿈꾼다

"내가 지브리 애니메이션

 <마녀 배달부 키키>에서 봤던

 그런 아름답고도

 이상적인 바닷가 마을 같은 곳이

 현실로 구현된다면

 참 행복할 것 같다."

B 당신은 이 글의 저자인 동시에 독자입니다. 저자인 나와 독자인 나는 만날 때마다 새로운 이야기를 만들어 갑니다. 지금 이 글을 읽는 당신의 생각을 여기에 더해보세요. 그것은 내 손을 떠난 글에 새로운 생명과 생기를 불어넣는 일입니다.

'키키'의 마을 같은 아름다운 세상을 꿈꾼다

'키키'의 마을 같은 아름다운 세상을 꿈꾼다

B

학교는 어떤 곳이
될 수 있을까요?

우리 교육이 마땅히 그러하길
바라는 모습을 상상해봅니다.
교육에 대한 자신의 철학을
형성하게 한 일들을 되짚어봅니다.
그를 통하여 어떤 교육철학을 갖게
되었는지 성찰합니다. 현재 우리
교육이 가진 괴리를 인식합니다.

안식처와 같은 미래학교

대화한 날_ 2023. 11. 1.

완성한 날_ 2023. 12. 1.

안식처와 같은 미래학교

미래의 학교는 어떤 곳이 되어야 할까? 아직 미래에 도달하지도 않았는데, 미래를 예상해서 그에 적합한 학교를 생각해 본다는 게 쉬운 일은 아닌 것 같다. 그러나 역사를 통해서 앞날을 예측하고 전략을 세우듯, 학교의 과거와 현재를 살펴보면, 앞으로 학교가 나아갈 길을 살펴보는 데 조금은 도움이 될 듯하다. 그리고 오늘 이 모임을 통해 나눈

이야기들이 참으로 값진 경험이 되었다. 과거의 학교는 차별과 촌지, 폭력으로 얼룩졌지만, 현재의 학교는 그보다 한발 더 나아갔다. 여전히 학교폭력 문제, 입시 위주 교육의 문제, 사교육 폐해 등 심각한 문제도 많지만, 분명, 학교문화 및 교육환경개선 등 더 나아진 점도 많다. 그리고 앞으로의 미래학교도 희망을 걸어볼 만하다고 생각한다.

　　　　내가 미래 교육을 생각하는 데 있어서 가장 도움을 많이 받은 책은 이지성 작가의 <에이트>다. 한 작가의 말이 전적으로 다 옳다고는 할 수 없겠지만 꽤 묵직한 분량의 글들과 사례, 논리적 근거들이 설득력을 높여주었다. 가장 인상적이었던 부분은 실리콘밸리의 부자들은 자녀들을 IT 기기에서 완전히 차단한다는 점이었다. 우리나라는 스마트교육이라고 해서 초등학생 시절부터 디지털 교과서 등 IT 기기를 활용한 시범학교도 대거 진행하고 있기도 한데, 철저히 아날로그식 교육을 한다는 점이 무척 인상적이었다. 그들의 주장은 미래에 닥쳐올 인공지능 시대에 대비하는 가장 좋은 방법은 인문학 교육이라고 하였다. 또한 교육자이자 정신과 의사였던 몬테소리가 강조한 '자율', '성취', '몰입'도 좋은 교육 방법이 된다고 하였다. 이것들이 이 책을 읽은 후로, 내 교육의 중요한 중심이 되었다.

사회자 선생님이 마지막 질문으로 앞으로의 학교 교육의 역할에 대해 질문하셨다. 소통, 공공성 등의 대답이 나왔다. 선생님들의 생각은 다 비슷하다는 생각이 들었다. 나는 특히 '안식처'가 되어주어야 한다고 생각했다. 나에게도 '안식처'와 같은 곳이 있다. 내가 아주 힘들고 좌절하고 넘어졌을 때 큰 위로가 되어주었다. 그리고 학교도 그런 곳이 되어주면 얼마나 좋겠냔 생각이 들었다. 사실, 더는 우리나라는 과거 못 배우고 가난한 시절처럼, 학교가 모든 지식의 중심이 되는 곳이 아니다. 코로나19로 언택트 교육은 더욱 가속화되었고, 교육 특구란 말도 옛말이고 언제 어디서나 질 좋은 온라인 강의를 들을 수 있는 시대다. 그런 시대에 학교에서 지식교육만을 강조하는 것은 시대에 뒤처진다는 생각이다. 그보다 학교가 새롭게 변화를 꾀해야 하며 그것은 바로 학교가 학생들이 숨 쉴 수 있는 공간, 기댈 수 있는 공간, 협업 능력을 배울 수 있는 공간, 바로 그런 안식처가 되어야 한다고 생각한다. 학생들이 오고 싶은 학교, 즐거운 학교가 되어야 한다고 생각한다.

이러한 점은 미래교육과 연결 지어 생각해 보고 싶다. 이지성 작가는 <에이트>에서 인공지능 시대에 대비하는 방법으로 '창조적 상상력'과 '공감력'을 강조하였다. 학교를 바로 그러한 상상력을 키울 수 있는 곳, 공감력을 발달시킬 수 있는 곳으로 만든다면, 자연히 학교를 사랑하게 되지 않을까? 오고 싶은 학교가 되지 않을까? 그 바탕엔 바로 인문학 교육을 뒷받침하고 말이다. 사람들이 오해하고 갈등하고 혐오 문제가 생기는 것도, 더 이상 쓸 수 없는 낡은 기술로 기계에 대체되는 것도, 생각하는 능력, 사고력의 부족에서 기인한다고 생각한다. 스스로 생각하는 힘, 문제를 해결하는 능력, 창의적으로 상상하는 능력, 지식과 지식을 융합하는 능력, 타인 감정에 깊이 공감하는 능력이 있다면, 다른 사람을 배려하고 이해하는 능력이 향상될 것이고, 또한, 직장에 전전긍긍하기보다 자신이 창조적으로 일을 만들어나갈 수 있으리라 생각된다.

　　　밀키웨이님이 말씀하신 미래사회의 모습으로 '핵 개인화' 시대는 사실 지금도 어느 정도 보이는 우리 사회의 한 서글픈 단상이 아닐까 하는 생각이 든다. 그러한 문제에 대한 고민으로 알랭드 보통의 <불안>과 김태형의 <풍요중독사회>를 찾아 읽어봤다. 사회는 점점 더 평등한 사회로 나아가고 있는데, 우리는 꽤 많은 부분에서, 이를테면, 재산, 지위, 학벌, 직업, 집안 등으로 촘촘한 보이지 않는 위계 서열이 있어서 불안을 느끼고 풍요로운 가운데 더 불행해졌다는 주장이다. 과거 절대왕정 시대에서 평등사회로 나아갔다는 점은 모든 사람에게 평등의 가치를 싹틔웠지만, 정작 행복도는 더 떨어졌다는 이야기다. 이러한 불행한 사회의 한 단면을 극복하는 방안으로 학교가 대안이 되면 어떨

까? 그리고 더 나아가 형식적인 평등한 사회가 아닌, 내면부터, 깊은 속까지 알찬, 진짜 평등한 사회를 이룩해 나가는 것이다. 누군가는 남보다 더 높이, 멀리, 성공한 위치, 그러니깐 Best One이 되고자 하지만, 누군가는 그냥 내가 좋은 것, Only One이 되고 싶은 것, 행복한 나, 단단한 나, 자유로운 나를 추구한다면 세상의 많은 혐오와 갈등, 불행이 줄어들 것이라 기대된다.

나는 내가 바로 후자, 즉 Only one이 되기 위해 계속해서 독서와 글쓰기를 하고 있다. 내가 맨 처음 독립출판으로 책을 출간하고자 했을 때, 세상 사람들의 비웃음도 많이 당했다. 인순이의 <거위의 꿈>이라는 노래처럼. 그때 나는 페이스북에 지금은 독립출판이지만 언젠가는 서점에 당당히 내 책을 꽂고 싶다고 올렸었다. 그리고 첫 독립출판을 출간한 지 만 5년이 흐른 후, 당당히 교보문고 강남점, 광화문점, 잠실점에 내 책이 입고되었다. 기대만큼의 판매 부수는 올리진 못했지만, 다음 내 목표는

베스트셀러 작가가 되는 것이다. 현재 오디오북 동화 3권을 출간했고, 네 번째 동화 출간도 앞두고 있다. 언젠가는 동화 공모전에서 대상을 수상하는 것도 꿈이다. 이러한 꿈들이 나를 더 생기 있게 만들어주고 자존감을 높여주고 삶을 행복하게 만들어주는 것 같다.

결국 미래 교육은 사람이 가장 사람답게 살 수 있는 사회를 만드는 데 일조하는 학교, 사람만의 고유한 가치를 실현할 수 있는 교육을 하는 학교가 아닌가 싶다. 그 방법으로 인문학 교육, 독서교육과 글쓰기 교육을 강조하고 싶다. 양질의 독서와 창조적인 글쓰기, 그리고 토론과 소통, 연대를 통한 공감 능력의 발휘를 통해 안식처가 되어주는 학교, 사회의 구심점이 되는 학교, 사회에 만연한 갈등과 혐오, 차별을 줄이고 마음을 치유해 주는 학교, 그런 학교가 된다면 좋겠다. 그럴 때 사람들은 더 이상 SNS 속 허상과 비교하며 좌절감과 우울감에 빠지지 않고, 타인을 기준으로 두는 것이 아닌, 자신을 기준으로 두면서 어제보다 더 나은 나, 점점 더 발전하는 나, 이 세상의 Only One이 되길 소망하는 사람이 늘어날 것이다. 그리하여 오고 싶은 학교, 즐거운 학교를 중심으로 행복한 세상을 이룩할 수 있을 것이다.

"결국 미래교육은

사람이 가장 사람답게 살 수 있는

사회를 만드는 데 일조하는 학교,

사람만의 고유한 가치를

실현시킬 수 있는 교육을 하는

학교가 아닌가 싶다."

당신은 이 글의 저자인 동시에 독자입니다. 저자인 나와 독자인 나는 만날 때마다 새로운 이야기를 만들어 갑니다. 지금 이 글을 읽는 당신의 생각을 여기에 더해보세요. 그것은 내 손을 떠난 글에 새로운 생명과 생기를 불어넣는 일입니다.

안식처와 같은 미래학교

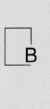

교사인 나를 둘러싼 환경은
어떠한가요?

우리 사회와 교육이 가지길 바라는
모습을, 나의 차원에서 실현하기에
주변 환경이 어떠한지 살펴봅니다.
자신의 교육철학을 이루기에
도움이 되는 환경과 제약이 되는
환경을 짚어봅니다.

가장 두려운 건
아이들의 눈

대화한 날_ 2023. 11. 8.

완성한 날_ 2023. 12. 2.

가장 두려운 건 아이들의 눈

김기림 시인의 <바다와 나비>라는 시가 반가웠다. 중학생 때 처음 교과서에서 접하고 내가 힘든 일을 겪을 때마다 마치 저 나비처럼 겁도 없이 바다에 뛰어들었다가 지쳐 돌아온 흐느끼는 작은 나비 같았다. 오늘 그동안의 교육환경을 되돌아보니 이제 그 나비는 아주 멀리 아주 먼 태평양으로 날아가야 할 때가 온 것만 같았다. 평탄한 삶만 살아오면

재미가 없지 않을까? 도스토옙스키는 사형 직전에 죄를 사면받고 기적적으로 살아났다. 굴곡진 인생, 파란만장한 인생이 본인에겐 괴로울 수 있으나 그런 인생에서 의미를 찾는다면 또한 좋은 점도 많을 것이다. 시작한 미약하나 끝은 창대하리라는 성경 구절처럼 지난날의 실패와 아픔이 나에게 더 많은 성장과 성숙을 가져왔다는 생각이 든다.

학교란 마냥 낭만적인 곳이 아니다. 학교도 많은 이해관계가 얽혀있고 조직의 한 부분이며 교장, 교감이라는 관리자의 명령 아래 일사불란하게 움직이는 곳이기도 하다. 수평적이고 자유로운 소통을 추구한다고 해도 지역마다 학교마다 조금씩 그 분위기는 상이하다. 나는 굉장히 청렴하신, 지나치다 못해 결벽증이 아닐까 하는 생각이 드는 교장 선생님과도 같이 근무해보았고, 너무나 고압적이고 교사들의 사기를 꺾는, 면박을 일삼는 폭언을 자주 뱉어 교사들이 대거 이동하는 학교에도 있어 보았다. 너무나 촘촘하게 교사들의 일거수일투족을 옥죄는 관리자도 만나보았고, 반면 지금 우리 학교의 교장 선생님은 주특기인 마술로 학교 아이들을 즐겁게 해주시는 분이기도 하다.

　　　　　관리자뿐만 아니라 동료 선생님, 학부모, 그리고 교사가 가장 많이 만나는, 가장 조심해야 할 학생들까지. 교사는 학교에서 다양한 사람들을 만난다. 그리고 그 모든 관계가 교사에게 많은 영향을 끼친다. '그래도, 자유로운 바다를 꿈꾸며'에서 나는 '학교의 영향력을 무시할 수는 없겠지요.'와 '다른 직업에 비해 나의 철학과 관점, 생각을 수업과 생활교육으로 무엇이든 시도할 수 있다는 점에서는 상대적으로 자유롭지만, 반대로 나의 도전과 성장을 가로막아 깊은 물 속으로 빠지게 할 수도 있기 때문입니다.'라는 문장에 밑줄을 그었다. 관리자, 동료 교사, 학부모, 그리고 업무와 물리적 조건 등 교육환경 등에 의해도 많은 영향을 받았기 때문이다. 학교가 너무 즐거워 훨훨 날아갈 듯이 일한 적도 있지만, 시궁창에 처박히는 기분도 느껴 보았다. 그리고 더는 바다에 빠져 허우적대는 교사가 되고 싶지는 않다. 마지막 문장 '여러분에게 자유를 향한 힘과 용기를 주는, 그것은 무엇인가요?'라는 질문처럼 앞으로 나의 교직 인생을 자유롭게 펼칠 힘과 용기에 대해서 생각해보며 하늘을 훨훨 나는 나비가 되고 싶다.

자유를 향한 힘과 용기라고 하면 굉장히 거창할 것 같다. 그러나 나는 결국 그 힘과 용기의 힌트를 내가 만나는 아이들에게서 찾고 싶다. 아이들로부터 배운다 해도 과언이 아니다. 말괄량이 삐삐가 자기보다도 큰 말을 한 손으로 번쩍 들고 어른들을 곯려주듯이, 슬픔과 외로움 속에서도 결국엔 달콤한 평온함을 찾아낸 미오처럼, 삭막하고 꽉 막힌 답답한 벽 같은 교육 현실 속에서도 나만의 돌파구를 찾고 싶다. 그리고 가장 큰 힌트는 바로 아이들에게서 얻는다. 우리 반 스무 개의 아이들의 눈이 나를 긴장시키고 더욱 노력하게 만든다. 내가 가장 염려하는 사람은 관리자도, 동료 교사도 학부모도 아닌 내가 만나는 아이들이다. 결국 아이들과 관계가 성공적이면 학교에서 만나는 다른 관계도 함부로 영향을 미칠 수 없다는 생각이 든다. 지난 시간에 살펴보았듯이 곧 아이들이 교육의 미래이며 새로운 시대를 이끌어갈 주역이기 때문이다. 아이들의 의견에 항상 귀 기울이고 경청한다면, 소통을 추구한다면 앞으로 추구해야 할 교육이 무엇인지 쉽게 답을 찾을 수 있다.

　　우리 학급에서 하는 1분 말하기, 1인 1역 활동, 교과 수업 시간, 창의적 체험활동, 그 어느 것 하나 빠트리지 않고 세세하게 챙기는 아이들, 나의 책상, 나의 스타일, 나의 언행 하나하나를 눈여겨보는 아이들, 학교에서의 활동 어느 것 하나 놓치지 않는 아이들 덕분에 나 또한 우리 교실에, 또한 더 나아가 우리 학교에 세심하게 관심을 기울이게 된다. 아이들의 학교에 대한 관심과 사랑이 결국 내가 어떻게 하면 더 행복한 교실, 더 즐거운 학교를 만들 수 있을까 고민하게 만든다. 아이들의 눈이 나를 더욱 긴장하게 하고 분발하게 만든다. 물론 아이들은 공부보다는 노는 것을 더 좋아한다. 어떻게 지난 제자들과 토씨 하나 틀리지 않고 노는 것이 중요하다고 말하는 아이들의 순진무구한 표정에 놀랄 때가 있다. 그러나 그런 놀이 속에서도 자연물을 관찰하고 손수 무언가를 만들고 기록으로 남기는 아이들을 보니 이렇게 진짜 배움이구나 일어난다고 느낄 때가 있다. 한 예로 우리 반 아이들은 1학기 때 학교에서 발견한 민달팽이를 손수 키우기도 했다. 나에게 허락을 받고 쪼르르 몰려가 과학 선생님에게 수조를 빌리고 민달팽이가 살 집을 만들고 이파리를 주워 와 먹이를 챙겨주는 아이들이 신기하게 느껴졌다. 어찌나 열정적인지 파브르가 환생한 게 아닐까란 생각이 들 정도였다.

지난 서이초 사태 이후로 교육환경이 힘들다는 목소리가 더욱 거세게 들려오기도 한다. 온라인 기사 댓글에는 절망적인 목소리가 한가득하다. 나도 정말 힘든 시기를 겪어봐서 안다. 아무것도 바뀌지 않고 어찌할 수 없는 현실에 죽고 싶은 만큼 괴로운 심정들. 만약 그런 상황에서 교실에서 만나는 학생들까지 교사 편이 아니라면

가장 두려운 건 아이들의 눈

정말 견디기 힘들 것만 같다. 나도 한때 그런 상황에 부닥친 적도 있었지만, 결국 교사의 진정성은 아이들에게 가닿는다는 생각이 든다. 교실 속 담임교사와 학생의 관계에 대해서 알지도 못하면서 이러쿵저러쿵 떠드는 소리, 학부모의 민원과 압박, 관리자와 동료 교사와의 갈등도 교사와 학생이 튼튼한 관계를 맺는다면 결국 무너뜨리지 못하는 것 같다. 교실 안에서의 가장 깊은 관계를 맺을 주체는 다름 아닌 교사와 학생이다. 교사가 한 발 뒤로 물러나 학생들 사이를 끈끈하게 만들어주면 더욱 좋다.

누군가는 자유와 책임을 주는 교사를 방종이라고 쉽게 넘겨짚지만, 그건 학생들을 무시하는 처사다. 아직 어린이일 뿐인 초등학생들도 하나의 인격체이고 생각하는 존재이고 나름의 논리가 있다. 그들도 고유한 존재로서 존중받을 수 있어야 한다. 똑똑하게 자신만의 생각을 펼칠 수 있다. 학생들을 무시하는 것이 아니라 존중할 때, 학생들을 방관하는 게 아니라 참여시킬 때, 학생들을 숨죽이는 게 아니라 목소리를 부여할 때 학생들도 교사를 따르고 교사와 함께 적극적으로 교실의 주인으로서 당당히 우뚝 선다. 그리되면 학생도 즐겁고 교사도 즐거운 학급을 만들어갈 수 있다. 그리고 그 기본은 바로 교사의 품성과 인격, 탄탄한 실력이다. 이것이 뒷받침되면 학생들도 절로 따를 것이다. 나는 매 순간 내가 아이들로부터 간파당하지는 않을지, 나의 부족함이 드러나지 않을지 두려울 때가 있다. 그러나 한두 번쯤 실수는 아이들도 이해해준다. 교사도 아이들을 따스하게 바라봐준다면 말이다. 교사와 학생은 교실 안에서 만나는 따뜻한 지원군, 서로가 서로에게 우군이 되어주어야 한다. 학생의 책임, 교사로서 해야 할 역할을 놓지 않고 함께 따듯한 교육을 그려나가고 싶다. 배우며 탐구하며 놀며 그리고 꿈을 그리며 행복한 학교를 만들어나가고 싶다. 있는 듯이 없기도 한, 교사의 역할이 막중하다.

"기본은 바로

교사의 품성과 인격,

탄탄한 실력이다."

B 당신은 이 글의 저자인 동시에 독자입니다. 저자인 나와 독자인 나는 만날 때마다 새로운 이야기를 만들어 갑니다. 지금 이 글을 읽는 당신의 생각을 여기에 더해보세요. 그것은 내 손을 떠난 글에 새로운 생명과 생기를 불어넣는 일입니다.

가장 두려운 건 아이들의 눈

가장 두려운 건 아이들의 눈

교사로서 우리의 이야기를
어떻게 써 내려갈까요?

우리를 둘러싼 환경을
고려하였을 때, 자신의 교육철학을
실현하기 위해 집중할 일 혹은
해결할 문제를 찾아봅니다.

혼자가 아닌,
함께 걸어가는
우리의 교육철학

대화한 날_ 2023. 11. 15.

완성한 날_ 2023. 11. 29.

혼자가 아닌, 함께 걸어가는 우리의 교육철학

마지막 모임, 마지막 질문은 나는 어떤 교사로 기억되고 싶냐였다. 나는 '회자정리'란 말을 좋아하지만, 그래도 마음속 기억에서마저 지워지면 너무 슬플 것 같다. 조금이나마 좋았던 기억, 행복했던 추억으로 남고 싶다. 아주아주 포근하고 좋았던 인연으로. 봄날의 비가 오는 날이든, 가을날 단풍잎 아래서든, 이따금 떠올려지는. 그리고 그런 교사가 나뿐만이 아니라 대부분의 선생님이 그런다면, 우리나라 교육은 참 장래가 밝고 행복할 것 같다는 생각이 든다. 내가 스물다섯 살 때 한 학부모에게 건넸던 말처럼, '행복합니다'란 말이 절로 나올 것 같다. 교사로서 일한다는 것에 자긍심을 가지고 모두가 즐겁게 일할 수 있을 것 같다. 그런 교육환경을 만들어나가는 데 일조하기 위해서 계속해서 노력해야겠다.

　　　　교육철학이란 말이 어렵게 느껴지던 때가 있었다. 심지어 나는 임용고사 면접에서 면접관이 교육철학이 뭐냐고 묻는 질문에 "아직 생각해본 적이 없다"라고 말했었다. 아마 내가 탈락의 고배를 마신 결정적인 이유가 된 것 같다. 그때의 충격이 교육철학에 대한 일종의 채무감으로 남아 이번 모임에까지 참여하게 만든 것 같다. 교육철학이란 어떻게 세워지는 걸까? 교대생 시절에 일본의 초등교사이자 아동문학가인 하이타니 겐지로의 책들을 읽으며 나름대로 교사로서의 상을 정립해보고자 애썼는데, 실전 경험이 바탕이 되지 않은 교육 철학이란 아직 사상누각일지도 모른다는 생각이 든다. 그런 면에서 내가 비록 경북에서 제일 오지에 첫 발령을 나서 힘든 시절을 겪었지만, 나의 교직 인생에서는 일종의 플러스가 되어주었을지도 모른다는 생각을 시간이 지나서 다시 하게 되었다.

나는 내향적인 성격으로 극 개인주의자였다. 주변에 관심이 별로 없어서 오해를 받기도 하고 갈등이 불거지기도 했다. 하지만 여러 우여곡절을 겪으면서 학교라는 공동체에서는 무엇보다 서로 간에 원활한 소통과 연대의 미덕이 힘을 발휘한다고 생각하게 되었다. 내가 교실 안에만 갇혀 있을 땐 몰랐던 다른 반 아이들과의 관계, 학부모와 학교 간의 관계, 동료 교사 간의 관계 등 보이는 것 너머의 일들도 많이 있었다. 여전히 나에게는 오리무중이지만 조금씩 나도 틈새로 스며들어 소속감을 느끼고 힘을 발휘하고 싶다. 그러려면 가만히 교실 안에만 갇혀 있어서는 안 된다는 생각이 들었다. 그러면서 점차 주변으로 관심을 돌리게 되었다.

내 타고난 기질과 성향, 성격상의 문제로 쉽지 않을 것 같기도 하지만, 나는 가장 기본으로 돌아가고 싶다. 아무리 여러 구조적인 문제, 또는 오해에서 비롯된 불협화음이든, 아니면 또 다른 어떤 문제이든, 결국 교사로서 가장 중요한 건, 기본 인성과 실력이라는 생각이 든다. 한때는 열심히 해봤자 돌아오는 것도 없다고 투덜투덜하였지만, 정말 근시안적인 시각이 아니었나 후회한다. 너무 힘들고 절망적이어서 핑계 속으로 회피해버렸던 지난날의 부끄러움이다. 한 차례 고비를 겪은 후, 이제는 깨닫는다. 매일 매일 열심히 살고 매일매일을 특별한 날처럼 수업하고, 나의 실력을 계속해서 발전시켜나갈 때, 학생과 학부모, 동료 교사, 관리자 모두가 나를 인정해줄 수 있다고. 더욱더 유능한 내가 되어야겠다고 다짐한다.

이제 그 길을 나 혼자만의 길이 아닌 모두와 함께 하는 길로 걷고 싶다. 경기도로 파견근무 갔을 때 선생님들과의 전문적 학습 공동체 시간이 너무나 즐거웠다.

혼자가 아닌, 함께 걸어가는 우리의 교육철학

자신감 없고 쑥스러움 많은 내가 대표가 되어 모임을 이끌어 나갔지만 여러 선생님의 도움으로 즐겁게 헤쳐나갈 수 있었다. 한 학기를 마치고 흐지부지된 것은 아쉽지만, 다음 해에도 모임을 같이 하자고 말씀해주시는 선생님들 덕분에 용기가 났고, 더욱더 준비하는 내가 되어야겠다는 생각이 들었다. 그때의 경험과 그 후의 일들이 나에게는 약점인 리더십 부분을 채우고 싶다는 열망으로까지 나아갔다. 그런데 오늘 모임에서 한 선생님께서 리더십은 다른 게 아니라 바로 '자기다움'으로 역량을 발휘하면 된다고 말씀하셔서 흠칫하기도 했다. 정말 그럴까? 나의 약점을 억지로 끌어내려고 하기보다 나의 강점을 살리는 방향으로 나아가볼까? 하고 말이다. 내가 저경력 교사일 때 보려고 사뒀던 책이 내성적인 리더쉽에 관한 책이었다. 나는 앞으로 어떤 부분을 더 채우고 어떤 부분을 발전시켜야 나가야 할까?

인터넷 신문 기사에는 오늘도 나를 숨 막히게 하는 교직 현실에 관한 뉴스들이 올라와 있었다. 그런 뉴스를 보면 댓글 반응을 살피고 또 다른 관련 글이나 영상을 검색하고 생각에 잠기곤 한다. 교장, 교감 퇴직자가 늘어나서 관리자 등용문이 넓어졌다는 기사 글을 보면, 그런 힘든 상황에서 관리자가 되면 과연 얼마나 버틸 수 있겠냐 생각이 들고, 생활지도 개정 매뉴얼에 교장, 교감 선생님들이 반발했다는 기사를 보면 대체 교장, 교감의 역할은 무엇인지 언제까지 서로 책임 떠넘기기만 할 건지 한숨이 나오고, 동료 교사의 자살 뉴스를 보면 언젠가는 내 일로 닥칠 것만 같아 숨이 턱 하고 막혀온다. 이런 열악한 교육 환경 속에서 나는 앞으로 어떤 교육의 미래를 일구어갈 수 있을지, 내가 노력해야 할 부분은 무엇인지, 나는 어떻게 살아야 하는지 고민이 된다.

이러한 고민의 해답을 지난 6주간의 연수 모임으로 어느 정도 찾은 것 같다. 비록 스물세 살 갓 졸업을 앞둔 교대생 시절엔 교육 철학이 무엇이냐는 물음에 대답할 수 없었지만, 이제는 그 물음에 답할 수 있을 것 같다. 교육이란 '혼자서' 걸어가는 길이 아니라고. 모두가 '함께' 나아가는 길이라고. 학생들, 동료교사, 학부모, 지역사회, 모두가 함께하는 교육이 진정한 우리 모두의 교육이라고. 우리 대한민국의 교육이라고. 함께하기 위해선 '소통'과 '연대'의 힘을 발휘해야 한다고. 항상 귀 기울여 듣는 자세, 열린 마음으로 대하는 자세, 함께 협력하는 자세가 모든 오해와 갈등을 불식시키고 화합의 장으로 이끌 거라고 말이다. 무한 경쟁사회, 이기주의의 세태 속에서도 나 혼자만 잘 살려고 하지 않고 옆을 돌아보는 사람이 있으면 상처받는 자도 소외당하는 자도 줄어들 것이다. 앞만 보고 달렸던 지난날의 나에게 가서 이렇게 말해주고 싶다. "외로운 나무가 되려면 혼자 걷고, 울창한 숲이 되고 싶거든 함께 걸어라." 조금씩 더 나아지는 나를 마주하는 일은 진정한 기쁨이다. 이 땅의 선생님들과 함께 그 길을 함께 걷고 싶다.

"외로운 나무가 되려면

혼자 걷고,

울창한 숲이 되고

싶거든 함께 걸어라."

혼자가 아닌, 함께 걸어가는 우리의 교육철학

당신은 이 글의 저자인 동시에 독자입니다. 저자인 나와 독자인 나는 만날 때마다 새로운 이야기를 만들어 갑니다. 지금 이 글을 읽는 당신의 생각을 여기에 더해보세요. 그것은 내 손을 떠난 글에 새로운 생명과 생기를 불어넣는 일입니다.

혼자가 아닌, 함께 걸어가는 우리의 교육철학

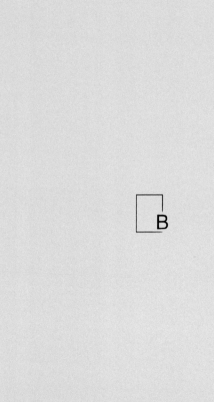

루비의 교육철학

저자_ 루비
발행_ 2023. 12. 25.

펴낸이_ 이상수
펴낸곳_ beside books
출판사등록_ 제561-2022-000043호(2022. 5. 17.)
주소_ 경기도 수원시 영통구 영통로200번길 21
전화_ 010-2853-2423
인스타그램_ instagram.com/beside.books
편집 / 디자인_ 서현지 이경준 정휘범

ISBN_ 979-11-92865-22-5

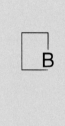
B